FRANZ SCHUBERT

LIEDER

FÜR EINE SINGSTIMME MIT KLAVIERBEGLEITUNG

BAND III

NACH DEN ERSTEN DRUCKEN REVIDIERT VON

MAX FRIEDLAENDER

AUSGABE FÜR MITTLERE STIMME

C. F. PETERS · FRANKFURT

NEW YORK · LONDON

INHALT

1

Nähe des Geliebten

Goethe

Orig. in Ges

Franz Schubert, Op. 5 Nº 2

2
Memnon
Mayrhofer
Originaltonart
Sehr langsam, schwärmerisch (♩= 50)
Op. 6 Nº 1
157
pp
Den Tag hindurch nur einmal mag ich sprechen, ge_wohnt zu schweigen immer
und zu trau_ern: wenn durch die nacht _ ge_bor'_nen Ne _ bel_mau _ ern Au_
rorens Pur_purstrahlen lie_bend bre_ _chen.
fp
pp
Für Menschen _ Ohren sind es Harmo_nie_en. Weil ich die Kla_ge selbst melodisch

cresc.
künde, und durch der Dich_tung Gluth das Rauhe rün - de, ver-
ppp
cresc.
p
mu_then sie in mir ein se - lig Blühen, ver - mu_then sie in mir ein se - lig
Blühen. In mir nach dem des To_des Ar - me
Etwas geschwinder werdend
cresc.
f
lan - gen, in dessen tief - stem Her - zen Schlan - gen wüh - len; ge-
f
p
nährt von meinen schmerzlichen Gefühlen fast wüthend durch ein un - gestillt Ver - lan_gen: mit
cresc.
f decresc.
cresc.

dir, des Morgens Göttin, mich zu ei - nen, und weit von die - sem nich - tigen Ge -
trie - be, aus Sphä - ren ed - ler Frei - heit, aus Sphä - ren rei - ner
Lie - be, ein stil - ler, blei - cher Stern herab zu schei - nen,
ein stil - ler, blei - cher Stern herab zu scheinen.
f
fp
fp
dimin.

3
Der Schäfer und der Reiter

de la Motte Fouqué

Orig. in E

Op. 13 No 1

Geschwind
Da ritt, bewehrt, ein Rei - ter den
f
Glück-li-chen vor - bei.
„Sitz' ab und su - che Küh - le," rief ihm der Schäfer
pp
zu, — „des Mittags na - he Schwüle ge - bie-tet stil-le Ruh'."
pp
pp
1
Tempo I
Noch lacht im Mor - - gen-glan - - -
tr
p
ze so Strauch als Blu - me hier,
und

Liebchen pflückt zum Kran_ _ze die schön_ _sten Blü_ _then dir."
Geschwind
Da sprach der fin_stre
Rei_ter: „Nie hält mich Wald und Flur,___ mich treibt mein Schicksal wei_ ter und
ach, mein ernster Schwur, mich treibt mein Schicksal wei_ter und ach, mein ernster Schwur!
Ich gab mein jun_ges Le_ben da_hin um schnöden Sold,___ Glück

kann ich nicht er - stre - ben, nur höchstens Ruhm und Gold, Glück kann ich nicht er-
stre - ben, nur höchstens Ruhm und Gold.
Drum schnell mein
Ross und tra - be vor - bei, wo Blumen blüh'n! einst lohnt wohl Ruh' im Gra - be des
Kämpfen - den Be - müh'n, einst lohnt wohl Ruh' im Gra - be des Kämpfen - den Be -
müh'n."

4

Ganymed

Goethe
Orig. in As
Etwas langsam
Op.19 Nº 3
159
pp
Wie im Mor - gen-glan - ze du rings mich
an - glühst, Früh - ling, Ge-lieb - ter! Mit tau - sendfacher Liebes-
won-ne sich an mein Herze drängt deiner e - - wigen Wärme
heilig Ge-fühl, un - end - - li-che Schö - - ne.
p
cresc.
f
cresc.
p
3

Dass ich dich fas - sen möcht' in die - sen Arm! Ach, an dei - nem
Bu - sen lieg' ich und schmach - te, und dei - - ne
Blu - men, dein Gras drän - gen sich an mein Herz.
Du kühlst den brennenden Durst mei - nes
Busens, lieb - li - cher Mor - gen - wind,
p
decresc.
pp
tr

ruft d'rein die Nach - tigall
lie - bend nach mir aus dem Ne - belthal.
dimin.
Ich komm'! Ich kom - me!
pp un poco accelerando
cresc.
ach! wo - hin, wo - hin?
Hin - auf strebt's, hin-
f
decresc.
p
cresc.
auf! hin - auf strebt's, hinauf! es schweben die Wol - ken ab - wärts, die
f
ff
p

Wol - ken nei - gen sich der seh - nenden Lie - be. Mir! mir! in eurem
Schoo - sse auf - wärts! um - fangend umfangen! auf - wärts an dei - nen Bu - sen,
poco a poco
cresc.
all - lie - bender Va - ter! Die Wol - ken nei - gen sich der seh - nenden
Lie - be. Mir! mir! in eu - rem Schoosse auf - wärts! um - fangend umfan - gen!
cresc.
auf - wärts an dei - nen Bu - sen, all - lie - bender Va - - - - ter, all-
- - - - - lie - ben der Va - - - - ter!
dim.

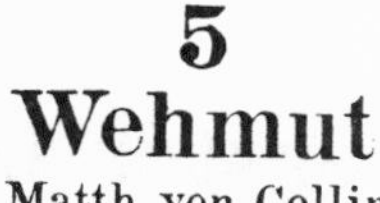
5
Wehmut

Originaltonart
Matth. von Collin
Op. 22 Nº 2
Langsam
160
Wenn ich durch Wald und Flu - ren geh', es wird mir dann so wohl und weh in unruhvoller Brust. So wohl, so weh, wenn ich die Au' in ihrer Schönheit Fül - le schau', und all' die Früh - lings - lust.
Denn was im Win - de tö - nend weht, was auf - gethürmt gen Himmel steht, und auch der Mensch so hold ver - traut mit all' der Schön - heit, die er schaut, ent - - schwindet und ver - geht, ent - schwindet und ver - geht, und ver - geht.
f
p
pp
cresc.

6
Ellen's erster Gesang
Aus Walter Scott's „Fräulein vom See"

Originaltonart

Op. 52 Nº 1

Langsam
In der In-sel Zau-ber-hal-len wird ein weicher Schlafge-sang um das
mü-de Haupt dir wal-len zu der Zau-berhar-fe Klang, wird ein wei-cher Schlafgesang dir
wal-len zu der Zau-berhar-fe Klang.
pp
ppp
Fee-en mit unsicht-baren Hän-den werden auf dein La-ger
legato
hin hol-de Som-mer-blu-men sen-den, die im Zau-ber-lan-de blüh'n, werden
hol-de Schlummerblumen sen-den, die im Zau-ber-lan-de blüh'n.
ppp

Mässig
Ra - ste, Krie - ger!
p
Krieg ist aus, schlaf' den Schlaf, nichts wird dich we - cken. Träume
nicht von wildem Strauss, nicht von Tag und Nacht voll Schre - cken, schlaf' den
Schlaf, nichts wird dich we - cken, träume nicht von wildem Strauss, nicht von Tag und
Nacht voll Schre - - - - - cken.
dim.
Geschwind
Nicht der Trom - mel wildes Ra - sen, nicht des
p

19
Kriegs gebietend Wort, nicht der Todeshörner
cresc.
Langsamer
Blasen scheuchen deinen Schlummer fort, nicht der
decresc.
p
pp
Trommel wildes Rasen, nicht der Todeshörner Blasen scheuchen
trem.
deinen Schlummer fort.
Geschwind
Nicht das Stampfen wilder Pferde, nicht der
Schreckensruf der Wacht, nicht das Bild von Tagsbe-
cresc.
decresc.
Edition Peters
8602

Langsamer
schwer - de stö - ren dei - ne stil - le Nacht, nicht das
decresc.
p
pp
Stam - pfen wil - der Pfer - de, nicht der Schre - ckensruf der Wacht stö - ren
trem.
Langsamer
dei - ne stil - le Nacht. Doch der Lerche Mor-gen-sän-ge wecken
dimin.
sanft dein schlummernd Ohr, und des Sumpfge - fie - ders Klän - ge stei-gen aus Ge - schilf und
Rohr, doch der Ler-che Mor-gen - sän - ge we - cken sanft dein schlummernd
ppp
Ohr.

Mässig
Ra - ste, Krie - ger! Krieg ist aus, schlaf' den
Schlaf, nichts wird dich we - cken. Träume nicht von wildem Strauss, nicht von
Tag und Nacht voll Schre - cken, schlaf' den Schlaf, nichts wird dich
we - cken, träume nicht von wildem Strauss, nicht von Tag und Nacht voll
Schre - - - - - - cken.
Ra - ste, Krie - ger, Krieg ist aus.
ppp
decresc.
ppp
dimin.

7

Ellen's zweiter Gesang

Aus Walter Scott's „Fräulein vom See"

Originaltonart

Op. 52 Nº 2

ru - he von der Jagd!
pp
Schlaf! der Hirsch ruht in der Höh - le, bei dir sind die
dimin.
fp
pp
Hun - de wach, schlaf, nicht quäl' es dei - ne See - le, dass dein ed - les Ross er -
cresc.
lag, dass dein ed - les Ross er - lag, schlaf, nicht
decresc.
fp
quäl' es dei - ne See - le, dass dein ed - les Ross er - lag.
pp
fp
pp

dimin.
Jä - ger, ru-he von der Jagd,
Jä - ger, ru-he von der Jagd!
p
fp
ppp
p
Weicher Schlummer soll dich decken;
wenn der jun - ge
ppp
p
ppp
p
Tag erwacht, wird kein Jägerhorn dich we - cken,
wird kein Jä-gerhorn dich
cresc.
we - cken.
Jä - ger, ru-he von der Jagd,
Jä - ger, ru-he von der Jagd!
fp
pp
pp
dimin.

8
Willkommen und Abschied

Goethe

Orig. in C

Op. 56 Nº 1

26
hundert schwarzen Augen sah.
Der Mond von ei_nem Wol_ken_
decresc.
pp
hü_gel sah kläg_lich aus dem Duft hervor,
die Win_de schwangen lei_se
Flü_gel, um_sau_sten schau_erlich mein Ohr,
die
cresc.
Nacht schuf tau_send Un_ge_heu_er,
doch frisch und fröhlich war mein
sf
sf
p
cresc.
Muth; in meinen A_dern wel_ches Feu_er, in meinem
mf
Edition Peters
8602

Her- zen wel - che Gluth, in mei - nen A - dern wel - ches Feu - er, in mei - nem
Her - zen wel - che Gluth, o — wel - che Gluth, o wel - che Gluth!
f
fz
sf
p decresc.
pp
Dich sah' ich,
und die mil - de Freu - de floss von dem sü - ssen Blick auf mich, —
ganz war mein Herz an dei - ner Sei - te, und je - der A - them - zug für

dich, und jeder A - them_zug für dich, und jeder A - them_zug für
sf p sf p
dich. Ein ro - senfarb'nes Frühlings - wet - ter um - gab das lieb_li_che Ge -
accelerando
sicht, und Zärt - lichkeit für mich, für mich ihr
cresc.
Langsam
Göt - ter! ich hofft' es, ich verdient' es nicht, ihr Göt - ter! ich hofft' es,
sf pp sf
Wie oben
ich verdient' es nicht. Doch ach, schon mit der Mor - gen -
son - ne verengt der Ab - schied mir das Herz: in deinen
p

Küs - sen wel - che Won - ne! in deinem Au - ge wel - cher
mf
Etwas langsamer
Schmerz! Ich ging, du standst und sahst zur Er - den, und sahst mir nach mit nassem
pp
Blick, du standst und sahst zur Er - den, und sahst mir nach mit nassem
Wie oben.
Blick: und doch, und doch welch' Glück, ge -
fp
cresc.
f
liebt zu wer - den, und lie - ben, Göt - ter, welch' ein Glück, o welch' ein Glück, und
lie - ben, lie - ben, welch' ein Glück!
ff
sf
sf

9

Dass sie hier gewesen!

Fr. Rückert

Orig. in C

Op. 59 Nº 2

Schön - heit o - der Lie - be, ob ver - steckt sie blie - - be?
Düf - - - - - - te thun es und Thrä -
- - nen kund, dass sie hier ge - we - sen, dass sie hier ge - we - sen,
Düf - te thun es und Thrä - nen kund,
dass sie hier ge - we - sen, dass sie hier ge - we - sen.
pp
fp
pp
cresc.
p
cresc.
pp

10
Lied eines Schiffers an die Dioskuren

Originaltonart

Joh. Mayrhofer

Op.65 № 1

schwin - ge, Mee - res - flu - then zu zer - thei - len, hän - ge ich, so ich ge -
bor - gen, auf an eu - res Tempels Säu - len, Di - os - ku - ren, Zwillings -
ster - - - - - ne.
pp
ppp
11
Aus Heliopolis
Originaltonart
Joh. Mayrhofer
Op. 65 Nº 3
Mässig
166
mf
Im kal - ten, rauhen Nor - den ist
Kunde mir ge - wor - den von ei - ner Stadt der Son - nen - stadt. Wo weilt das Schiff, wo

ist der Pfad, die mich zu je_nen Hallen tra_gen?
Von Menschen konnt' ich nichts er_
fragen,
im Zwiespalt waren sie ver_wor_ren.
Zur
Blu_me, die sich He_li_os er_ko_ren, die e_wig, e_wig in sein Antlitz
blickt, wandt' ich mich nun,_ und ward ent_zückt:
„Wen_de,
so wie ich, zur Son_ne dei_ne Au_gen! dort ist Wonne, dort ist Le_ben; treu er_
fp
pp
p

ge - ben, pil - g're zu und zweif - le nicht: Ru - he fin - dest du im
Licht. Licht er - zeu - get al - le Glu - then,—
Hoffnungs - pflan - zen, Tha - ten - flu - then, Hoff - nungs - pflan - zen,— Tha - ten -
flu - - - then! Licht er - zeu - get al - le Glu - then,— Hoff - nungs -
pflan - zen,— Tha - ten - flu - - - then!“
p
cresc.
f
p
cresc.
f
p

12
Das Zügenglöcklein

J. G. Seidl

Originaltonart

Op. 80 Nº 2

die vor_aus gewallt? Zog er gern die Schelle? bebt er an der Schwelle,
cresc.
wann „Herein“ erschallt, bebt er an der Schwelle, wann „Her_ein“ er_
f
schallt? Gilt's dem bösen Soh_ne,
p
p
der noch flucht dem To_ne, weil er hei_lig ist? Nein, es klingt so lau_ter,
wie ein Gott_ver_trau_ter sei_ne Laufbahn schliesst, wie ein Gottvertrauter
cresc.

sei - ne Lauf - bahn schliesst!
A - ber ist's ein Mü - der, den verwaist die Brü - der, — dem ein treu-es Thier
ein-zig liess den Glau - ben an die Welt nicht rau - ben, — a - ber ist's ein Müder,
den verwaist die Brüder: ruft' — ihn, Gott, — zu dir!
Ist's der Fro - hen Ei - ner, der die Freuden rei - ner
cresc.

Lieb' und Freundschaft theilt, gönn' ihm noch die Wonnen un_ter die_ser Son_nen,
cresc.
gönn' ihm noch die Won_nen un_ter dieser Son_nen, wo er ger_ne
f
weilt.
p
dimin.
13
Im Freien
Orig. in Es
J. G. Seidl
Op. 80. № 3
Mässig, mit Innigkeit
168
pp
Draussen in der wei_ten Nacht steh' ich wie_der nun, ih_re hel_le

Sternen-pracht lässt mein Herz nicht ruh'n, lässt mein Herz nicht ruh'n.
dim.
Tau-send Ar-me win-ken mir süss be-geh-rend
zu, tau-send Stimmen ru-fen hier: Grüss dich, Trauter, du,
decresc.
pp
pp
grüss dich, Trauter, du!
dim.
O ich weiss auch, was mich zieht, weiss auch, was mich ruft,
decresc.
pp

was wie Freundes Gruss und Lied lo_cket, lo_cket durch die
fp
pp
Luft.
fp
pp
Siehst du dort das Hütt_chen stehn, drauf der Mondschein ruht?
durch die blan_ken Schei_ben sehn Au_gen, die mir gut, durch die blanken
cresc.
f
p
cresc.
Schei_ben sehn Au_gen, die mir gut.
f
p
pp

Siehst du dort das Haus am Bach, das der Mond be_scheint? un_ter sei_nem
trau_ten Dach schläft mein liebster Freund, un_ter sei_nem trau_ten Dach
schläft mein liebster Freund.
Siehst du je_nen Baum, der voll Silberflocken flimmt? O, wie oft mein
Bu_sen schwoll, fro_her dort ge_stimmt, o, wie oft mein Bu_sen schwoll,
8
mf
f
p
cresc.

fro - her dort ge - stimmt.
Jedes Plätzchen, das mir winkt, ist ein theurer Platz, und wo-
hin — ein Strahl nur sinkt, lockt ein theurer Schatz, ein theurer Schatz;
drum auch winkt mir's ü - ber-all so be-gehrend hier, drum auch ruft es,
wie der Schall trau - ter Lie - be mir, trau - ter Lie - be mir,
f
p
pp
cresc.
pp
cresc.
fp
decresc.
pp

drum auch winkt mir's ü - ber - all so be - geh - rend hier, — drum auch
cresc.
ruft es wie der Schall trau - ter Lie - be mir, drum auch
8
fp
pp
ruft es wie der Schall trau - ter Lie - be mir,
ppp
leise
wie der Schall
ritard.
trau - ter Lie - be mir.

14

Romanze des Richard Löwenherz

Aus Walter Scott's „Ivanhof."

Schö_nen! aus der Fer_ne ist der Rit_ter heimgekehrt,
doch nichts
durft' er mit sich neh_men, als sein treues Ross und Schwert.
Sei_ne
Lan_ze, sei_ne Spo_ren sind al_lein ihm un_ver_lo_ren,
dies ist
all' sein ir_disch Glück,
dies und The_kla's Lie_bes_blick,
cresc.
fp
dies ist all' sein ir_disch Glück,
dies und
cresc.
f
decresc.

The - kla's Lie - bes - blick.
p
p
p
Heil der Schönen! was der Rit - ter that, ver - dankt er ih - rer Gunst,
da - rum soll ihr Lob verkünden stets des Sängers sü - sse Kunst.
„Seht, da ist sie," wird es heissen, wenn sie ih - re Schö - ne preisen,

„de_ren Au_gen Him_mels_glanz gab bei As - ca_lon den
Kranz, de_ren Au_gen Him_mels_
glanz gab bei As - ca_lon_ den Kranz."
cresc.
fp
cresc.
f
decresc.
p
mf
p
Schaut ihr Lächeln, eh'r_ne Männer streckt' es

leb_los in den Staub,
und I - co_nium, ob sein Sul_tan muthig
stritt, ward ihm zum Raub.
Die_se Locken, wie sie gol_den schwimmen
um die Brust der Holden,
legten man_chem Mu - sel - mann Fesseln
un - zer_reiss_bar an,
legten man_chem Mu - sel -
mann Fesseln un - zerreiss_bar an.
p
cresc.
f
decresc.

Heil der Schönen, dir ge_höret, Hol_de, was dein Ritter that,
p
un poco ritard.
da_rum öff_ne ihm die Pfor_te, Nachtwind streift, die Stunde naht;
pp
un poco ritard.
a tempo
dort in Sy_riens hei_ssen Zonen, musst' er leicht des Nords ent_
a tempo
pp
woh_nen,
Lieb' er_sti_cke nun die
p
cresc.

Scham, weil von ihm der Ruhm dir kam. Öff_ne
f
p
pp
da _ rum ihm die Pfor_te, Nacht_wind streift, Lieb' er_
p
sti _ cke nun die Scham, weil von ihm der Ruhm dir kam,
cresc.
f
mf
Lieb' er _ sti _ cke nun die Scham, weil von
cresc.
f
ihm der Ruhm dir kam.
mf
f

15

Abendlied für die Entfernte

A.W. Schlegel

Orig. in F

Op. 88

ge - gen drän - gen, sich dir ent - ge - gen drän - - gen.
Ruh' um - fä - cheln, mir sel' - ge Ruh' um - fä - - cheln?
fp
cresc.
f
p
Wenn
decresc.
pp
p
p
Ah - nung und Er - in - nerung vor unserm Blick sich gat - ten,
dann mil - dert sich zur Däm - merung der See - le tief - ster Schat -
pp
ten.
Ach dürf - ten wir mit Träu - men nicht die
pp

Wirk_lich_keit ver_we_ben, wie arm an Far_be, Glanz und Licht wärst du, o
Men_schenle _ ben, wie arm _ wärst du, wie arm, du Menschenle _ ben!
cresc.
pp
p
So hof_fet treulich und beharrt das Herz bis hin zum Gra _ be,
mit Lieb' um_fasst's die Ge_genwart und dünkt _ sich reich _ an
pp

Habe. Die Habe, die es selbst sich schafft, mag ihm kein Schicksal
rau - ben; es lebt und webt in Wärm' und Kraft,
durch Zu - ver - sicht und Glau - ben, durch Zu - ver - sicht und Glau - -
ben.
p
decresc.
pp
p
fp
Und wär' in Nacht und Ne - beldampf auch al - les rings er - stor - ben,

dies Herz hat längst für je_den Kampf sich ei_ _nen
Schild er_wor_ben.
Mit ho_hem Trotz im
Un_gemach trägt es, was ihm be_schie_den;
so
schlummr' ich ein, so werd' ich wach,
in Lust nicht, doch in Frie_
den, in Lust nicht, doch in Frie_ _ _den.
cresc.
f
p
decresc.
pp
p

16
Im Walde

Orig. in B moll

Ernst Schulze

Op. 93 Nº 1

wei - te Meer, sie käm' auch dort wohl hin - terher, sie käm' auch dort wohl hinter-
cresc.
f
her, und schifft' ich auch durch's wei - te Meer, sie käm' auch
p
dort wohl hin - ter - her.
mf
f
Wohl
p
blüh'n viel Blu - men auf der Flur, die hab' ich nicht ge - se - hen, denn
pp

Ei - ne Blu - me seh' ich nur auf al - len We - gen ste - hen, denn
cresc.
Ei - ne Blu - me seh' ich nur auf al - len We - gen ste - hen; nach
ihr hab' ich mich oft gebückt und doch sie nim - mer ab - gepflückt, nach
ihr hab' ich mich oft gebückt und doch sie nim - mer
pp
ab - gepflückt, und doch sie nim - mer ab - ge - pflückt.
cresc.
f
mf

Die
Bie - nen sum - men durch das Gras und hän - gen an den Blü - then; das
p
macht mein Au - ge trüb' und nass, ich kann mir's nicht ver - bie - ten, ich
cresc.
f
decresc.
kann mir's nicht ver - bie - ten. Ihr sü - ssen Lip - pen, roth und weich, wohl
p
cresc.

hing' ich nim - mer so an euch, wohl hing' ich nim - mer so an
f
euch, ihr sü - ssen Lip - pen roth und weich, wohl hing' ich nim - mer so an
euch!
f
p
Gar lieb - lich sin - gen
p
nah und fern die Vög - lein auf den Zwei - gen; wohl säng' ich mit den
cresc.

Vö_geln gern, doch muss ich trau_rig schwei_ _gen, doch muss ich trau_rig
schwei _ gen; denn Lie _ beslust und Lie _ bespein, die blei _ ben je_des
cresc.
gern al_lein, die blei _ ben je _ des gern al_lein, denn Lie_bes _ lust und Lie _ bes_
pein, die blei_ben je_des gern al _ lein.
f
p
mf

Am Him - mel seh' ich flü - gel - schnell die Wol - ken wei - ter
zie - hen, die Wel - le rie - selt leicht und hell, muss im - mer nah'n und
flie - hen, die Wel - le rie - selt leicht und hell, muss im - mer nah'n und
flie - hen; doch ha - schen, wenn's vom Win - de ruht, sich Wolk' und Wol - ke,
Fluth und Fluth, doch ha - schen, wenn's vom Win - de ruht, sich Wolk' und Wol - ke,
p
p
pp
pp

Fluth und Fluth, sich Wolk' und Wol - ke, Fluth und Fluth.
f
mf
Ich
wan - d're hin, ich wan - d're her bei Sturm und hei - tern Ta - gen, und
p
doch er - schau' ich's nim - mer - mehr und kann es nicht er - ja - gen, und
cresc.
f

kann es nicht er - ja - - gen. O Lie - bes - seh - nen,
Lie - bes-qual, o Lie - bes - seh - nen, Lie - bes-qual, wann
ruht der Wan - derer ein - mal, o Lie - bes - seh - nen, Lie - bes -
qual, wann ruht der Wan - de-rer ein - mal?
p
cresc.
f
ff
p
mf
f
p
pp
rallent.

17
Bei Dir!
Joh. Gabr. Seidl

Orig. in As

Op. 95 Nº 2

lein, mich freut mein Sein bei dir al - lein, bei
dir al - lein!
mf
cresc.
ff
decresc.
p
p
decresc.
Bei dir al - lein weht mir die Luft so - la - bend,
pp
dünkt mich die - Flur so grün, so mild des

Len - zes Blüh'n, so bal - sam - reich der A - bend, so
kühl der Hain, bei dir al - lein! so
kühl der Hain, bei dir al - lein, bei dir al - lein!
cresc.
p
decresc.
Bei dir al -
lein ver - liert der Schmerz sein Her - bes, ge - winnt die

Freud' an Lust! Du sicherst mei - ne Brust des an - ge - stamm - ten
Er - bes; ich fühl' mich mein bei dir al - lein, bei
dir al - lein, bei dir al - lein! Ich
fühl' mich mein bei dir al - lein, bei dir al - lein, bei dir
al - lein!
f
p
cresc.
fz
decresc.
Ped.

18
Jägers Liebeslied

F. v. Schober

71
5. Strophe:
(Und doch! mit al - lem Glück ver - eint, das nur auf Er - den ist; als)
p
decresc.
1. Kein Ort, der Schutz ge - wäh - ren kann, wenn mei - ne Flin - te zielt;
2. Auf Dor - nen schlief ich wie auf Flaum, vom Nord - wind un - ge - rührt,
3. Ein Tann - reis war die Blu - men - zier auf schweiss be - fleck - tem Hut,
4. All - nächtlich ü - ber'n schwarzen Wald, vom Mon - denschein um - strahlt,
5. Und doch! mit al - lem Glück ver - eint, das nur auf Er - den ist;
dolce
pp
(5. Strophe fehlen beide Tacte.)
5. Str: be - ste
5. Str: Ar - me schliesst,
1. und den - noch hab' ich har - ter Mann die Lie - be auch ge - fühlt, und
2. doch hat der Lie - be zar - ten Traum die rau - he Brust ge - spürt, doch
3. und den - noch schlug die Lie - be mir in's wil - de Jä - ger - blut, und
4. schwebt kö - nigs - hehr die Lichtge - stalt wie sie kein Mei - ster malt, schwebt
5. als wenn der al - ler - be - ste Freund mich in die Ar - me schliesst, als
pp
pp
5. Str: al - ler
5. Str: in die
1. den - noch hab' ich har - ter Mann die Lie - be auch ge - fühlt!
2. hat der Lie - be zar - ten Traum die rau - he Brust ge - spürt.
3. den - noch schlug die Lie - be mir in's wil - de Jä - ger - blut.
4. kö - nigs - hehr die Licht - ge - stalt wie sie kein Mei - ster malt.
5. wenn der al - ler - be - ste Freund mich in die Ar - me schliesst!
decresc.
pp
Edition Peters
8602

19
Wiegenlied

Joh. Gabr. Seidl

Originaltonart

Op. 105 № 2

Lust!
Wie dir so schlafroth
glü_het die Wan_ge: Ro_sen aus E_den hauchten sie an.
Wie dir so schlafroth
glü_het die Wan_ge: Ro_sen aus E_den hauchten sie an:
Ro - sen die
cresc.
Wan - gen, Him - mel die Au - gen, hei - terer Mor-gen, himm - lischer
p
pp
Tag, hei - terer Mor - gen, himm - lischer Tag!
cresc.
pp

Wie des Ge_lo_ckes gol_di_ge Wallung
kühlet der Schläfe glühenden Saum.
Wie des Ge_lo_ckes gol_di_ge Wallung
kühlet der Schläfe glühenden Saum.
Schön ist das Gold _ haar,
cresc.
schö _ ner der Kranz drauf: träum' du vom Lorbeer, bis er dir
p
pp
blüht, träum' du vom Lorbeer, bis er dir blüht.
cresc.
pp

Lieb_liches Mündchen, En_gel umweh'n dich:
drinnen die Unschuld, drinnen die Lieb'.
Liebliches Mündchen, Engel umweh'n dich:
drinnen die Unschuld, drinnen die Lieb';
wah - re sie, Kind - chen,
cresc.
wah - re sie treu - lich: Lip - - pen sind Ro_sen, Lip - - pen sind
p
pp
Gluth, Lip - - pen sind Ro_sen, Lip - - pen sind Gluth.
p
pp

Wie dir ein En_gel fal_tet die Händchen,
fal_te sie einst so: gehst du zur Ruh',
wie dir ein En_gel fal_tet die Händchen,
fal_te sie einst so: gehst du zur Ruh';
schön sind die Träu - me,
cresc.
wenn man ge - be - tet: und das Er_wa_chen lohnt mit dem
p
pp
Traum, und das Er_wa_chen lohnt mit dem Traum.
p

20

Am Fenster

Joh. Gabr. Seidl

Orig. in F

Op. 105 № 3

lein mich sah, und kei_ner mich ver_stand, und kei_ner mich ver_stand.
cresc.
f
p
cresc.
Jetzt brach ein an_der Licht her_an: die Trau_er_zeit ist
p
pp
cresc.
f
um: und man_che zieh'n mit mir die Bahn durch's Le_bens_hei_lig_
p
cresc.
f
thum. Sie raubt der Zu_fall
p
e_wig nie aus meinem treu_en Sinn, in tiefster See_le trag' ich sie, da
fp
cresc.
sf p
cresc.

reicht kein Zu_fall hin. Du Mauer wähnst mich trüb' wie einst, das
pp
p
ist die stil_le Freud: wenn du vom Mondlicht wiederscheinst, wird mir die Brust so weit. An
leise
pp
cresc.
dim.
je_dem Fenster wähn' ich dann ein Freundeshaupt ge_senkt, das auch so schaut vom
pp
Him_mel an ein Freundeshaupt ge_senkt, das auch so mei_ner denkt, das
cresc.
ppp
auch so mei_ner denkt!
dim.

21
Ueber Wildemann *)

Orig. in D moll

Ernst Schulze

Op. 108 Nº 1

*) *Liegt im Harz*

von Höh' zu Höh'.
Und will das Le - ben im
frei - en Thal sich auch schon he - ben zum Son - nen - strahl, ich muss vor - ü - ber mit
wil - dem Sinn und bli - cke lie - ber zum Win - ter hin.
Auf grü - nen Hai - den, auf bun - ten Au'n müsst' ich mein Lei - den nur
ff
sf
decresc.
p
pp
f

im - mer schau'n, dass selbst am Stei - ne das Le - ben spriesst, und ach, nur Ei - ne ihr
f
Herz verschliesst, nur Ei - ne ihr Herz ver - schliesst.
ff
sf
decresc.
p
O
Lie - be, Lie - be, o Mai - en-hauch, du drängst die Trie - be aus
pp
Baum und Strauch, die Vö - gel sin - gen auf grü - nen Höh'n, die Quel - len sprin - gen bei

dei - nem Weh'n, die Quel - len springen bei dei - nem Weh'n!
cresc.
Mich lässt du schwei - fen im dun - klen Wahn durch Win - des - pfei - fen auf
mf
cresc.
rau - her Bahn. O Früh - lings - schimmer, o Blü - then - schein, soll
f
mf
ich denn nim - mer mich dein er - freu'n? O Früh - lingsschim - mer, o Blü - thenschein, soll
ich denn nim - mer mich dein er - freu'n? mich dein er - freu'n?
cresc.
ff
sf
sf
sf
sf
sf

22
Die Erwartung
F. v. Schiller

Orig. in B

Op.116

Zwei-ge, baut ein schattendes Gemach, mit hol-der Nacht sie heim-lich zu um-
fan-gen, und all' ihr Schmeichellüfte, werdet
wach und scherzt und spielt um ih-re Ro-senwan-gen, wenn
sei-ne schö-ne Bür-de, leicht bewegt, der zar-te, der zar-te,
der zar-te Fuss zum Sitz der Lie-be trägt.
pp
p

Geschwind
Stil-le, was
schlüpft durch die Hecken raschelnd mit ei-lendem Lauf?
Nein, es scheuchte nur der Schrecken aus dem Busch den Vo-gel auf.
Feierlich
O lö-sche dei-ne Fackel, Tag! Her-
vor, du geist'-ge Nacht, mit dei-nem hol-den Schwei-gen! Breit' um uns

zurückhaltend
her den purpur-ro-then Flor, um-spin-ne uns mit geheimnissvol-len
riten.
Zweigen! Der Lie-be Won-ne flieht des Lau-schers Ohr, sie flieht des
Strah-les un-bescheid'-nen Zeu-gen! Nur Hes-per, nur
Hesper, der Verschwiege-ne, al-lein darf still herblickend ihr Ver-trau-ter sein.
pp
Recit
Etwas bewegt.
pp
Rief es von ferne nicht lei-se, flüsternden Stimmen gleich?
im Takte
3
Nein, der Schwan ist's, der die Krei-se zieht durch den Sil-ber-teich.

Majestätisch
Mein
Ohr um_tönt ein Har_monie_enfluss, der
Spring_quell fällt mit an_ge_neh_men Rauschen, die
Blu_me neigt sich bei des We_stes
Kuss, und al_le We_sen seh' ich
fp
p
pp

Won - - - ne tau_schen, die Trau - - - be winkt, die
p
Pfir - sche zum Ge_nuss, die üp - - pig schwel_lend hin_ter
cresc.
Blät - - - tern lau_schen, die Luft, ge -
f
taucht in der Ge_wür - - - - ze Fluth, trinkt
von der hei_ssen Wan - - ge mir die Gluth.
dimin.

Etwas geschwind
Hör'ich nicht Tritte erschallen?
Rauscht's nicht den Laubgang da_her?
Die Frucht ist dort gefallen, von der eig'nen Fülle schwer.
Langsam
Des Ta_ges Flammenau_ge sel_ber bricht in süssem Tod, und seine Farben blas_
sen; kühn öff_nen sich im holden Däm_merlicht die Kel_che schon, die sei_ne Glu_then
has_sen.
Still hebt der Mond sein

strahlend An - ge - sicht,
die Welt zerschmilzt in ruhig gro - sse
Mas - sen. Der Gür - tel ist von je - dem Reiz ge - löst, und al - les
Schö - ne zeigt sich mir ent - blösst.
cresc.
Mässig geschwind
Seh' ich nichts Weisses dort
schimmern?
Glänzt's nicht wie seid'nes Ge - wand?
Nein, es ist der Säu - le Flimmern an der

dun - keln Ta - xus - wand.
Etwas bewegt
O! sehnend Herz, er - gö - tze dich nicht mehr, mit sü - ssen Bil - dern we - sen - los zu
spie - len, der Arm, der sie um - fas - sen will, ist leer; kein
Schat - - - ten - glück kann die - sen Bu - sen kühlen, O! führe
mir die Lie - ben - de da - her, lass ih - re Hand, die zärt - li - che, mich füh - len, den Schat - ten
nur von ih - res Mantels Saum! und in das Le - ben tritt der hoh - le Traum.

Und leis', wie aus himmlischen
pp
Hö_hen die Stun_de des Glü_ckes er_scheint, so war sie ge_naht, un_ge_
se_hen, und weck_te mit Küs_sen den Freund.
cresc.
p
Und
leis', wie aus himm_li_schen Hö_hen die Stun_de des Glü_ckes er_
scheint, so war sie ge_naht, un_ge_se_hen, und weck_te mit
Küs_sen den Freund.
pp
Ped.
*

23
Der Sänger

Goethe

Orig. in D

Op. 117

Freundlich, mässig
Gegrüsset seid mir, edle Herrn, gegrüsst ihr schönen Damen! Welch' reicher Himmel! Stern bei Stern! Wer kennet ihre Namen, wer kennet ihre Namen?
p
fp
mf
cresc.
f
Recit
Im Saal voll Pracht und Herrlichkeit schliesst, Augen, euch, hier ist nicht Zeit, sich staunend zu ergötzen.

Recit
Der Sänger drückt' die Augen ein und schlug in vollen Tönen;
a tempo
pp
fp
tr
p
f
fp
pp
dolce
die Rit - ter schau - ten mu - thig drein, und
in — den Schooss die Schönen.
decresc.

tr
fp
f
Recit.
Der Kö_nig, dem es wohl_gefiel, liess, ihn zu ehren für sein Spiel, ei_ne gold_ne Ket_te
holen. Die goldne Ket_te gieb mir nicht, die Ket_te gieb den Rittern, vor deren kühnem
An_gesicht der Fein_de Lanzen splittern. Gieb sie dem
(schnell)
Kanzler, den du hast, und lass ihn noch die goldne Last zu andern Lasten tragen. Ich

Angenehm, etwas geschwind
sin - ge, wie der Vo - gel singt, der in den Zwei - gen woh - net; das
Lied, das aus der Keh - le dringt, ist Lohn, der reich - lich loh - net.
p
Recit
Doch darf ich bitten, bitt' ich
eins: Lass mir den besten Becher Weins in purem Gol - de reichen.
Nicht zu langsam,
Er
f
fp
lieblich.
setzt' ihn an, er trank ihn aus: O Trank voll sü - sser
pp
La - be, o Trank voll sü - sser La - be! O, wohl dem hoch - beglückten
3
cresc.

Haus, wo das_ ist klei - ne Ga_be! Er_geht's euch wohl, so
fp pp
denkt an mich und dan - ket Gott so warm, als
cresc. cresc.
ich für die - - sen Trunk euch dan - - ke. Er -
cresc. f p
geht's euch wohl, so denkt an mich, und
dan - ket Gott so warm, als ich für die - sen Trunk euch dan - - -
cresc. f p
ke; er_geht's euch wohl, so denkt an mich!
p

24
Auf dem Strom

Originaltonart

Rellstab

Op. 119

*) Ursprünglich für eine Singstimme mit Pianoforte- und Horn- (oder Violoncell-) Begleitung. Die Originaltonart ist E dur.

fp
Fuss sich schei_dend wen_ _de!
Schon wird von des
Stur_mes Wo_gen
fp
rasch der Na_chen fort_ge_zo_gen,
cresc.
doch den thrä_nen_dunklen Blick zieht die Sehn_sucht stets zu_
f
rück, zieht, zieht die Sehn_sucht stets zu_rück.
p
sf

mf
Und so trägt mich denn die Wel_ _le fort mit
tr
p
mf
un _ er_fleh_ter Schnel_ _le.
Ach, schon ist die Flur ent_schwun _ den, wo ich se _ lig sie ge _ fun_ _den,
pp
ach, wo ich se_ _lig sie ge _ fun_ _ _ _den! E_wig
fp
cresc.
cresc.
mf
hin, ihr Won_ne _ ta_ _ge, e_wig hin, ihr Won_ne _ ta_ _ge!
mf

Hoff - nungsleer verschallt die Kla - ge
um das schö-ne Hei - - math-land, wo ich ih - re, ih - re
Lie - be fand.

p
Sieh', wie flieht der Strand vor - ü - ber und wie drängt es mich hin - über,
zieht mit un - nenn - ba - ren Ban - den an die Hüt - te dort zu - lan - den,
pp
in der Lau - be dort zu wei - len;
fp
doch des Stro - mes Wel - len ei - len
fp
wei - ter oh - ne Rast und Ruh', —
pp
fp

cresc.
f
ei - - len oh - ne Rast und Ruh', füh - ren mich dem Welt - meer
cresc.
f
cresc.
ff
zu, füh - ren mich dem Welt - meer zu.
ff
decresc.
p
mf
Ach, vor je - ner dunk-len Wü - ste, fern von
tr
mf
je - der hei - tern Kü - ste, wo kein Ei - land zu er - schau - en, wo kein

Ei_ _land zu er_schau_ _en; o, wie fasst mich zit_ _ternd
Grau_ en, o, wie fasst mich zit_ _ _ternd Grau'n! Wehmuths_
decresc.
thrä_ nen sanft zu brin_ _gen, kann kein Lied zum U_ fer drin_ _gen;
nur der Sturm weht kalt daher, nur der Sturm weht kalt daher
durch das grauge_ hob'_ _ne Meer, durch das grauge_ _hob'_ _ne

Meer!
decresc.
p
tr
pp
p
Kann des Au - ges seh - nend Schwei - fen kei - ne U - fer mehr er -
grei - fen,
nun so blick' ich zu den Ster - nen dort in
fp
p
je - nen heil' - gen Fer - nen!

fp
Ach! bei ih - rem mil - den Schei - ne
fp
nannt' ich sie zu -
fp
fp
erst die Mei - ne;
dort vielleicht, o
cresc.
trö - stend Glück, dort be -
cresc.
f
gegn' ich ih - rem Blick, dort, dort be - gegn' ich ih - - rem
p
f
sf
p
pp
Blick!
p
pp
pp
Bei der Ster - ne mil - dem Schei - ne nannt' ich sie zuerst die
pp

Mei - ne; dort viel - leicht, o trö - stend Glück, dort be - gegn' ich ih - rem
Blick, dort viel - leicht, o trö - stend Glück, dort be - gegn' ich ih - rem
Blick, dort be - gegn' ich ih - rem
Blick!
dort be - gegn' ich ih - rem Blick!
cresc.
f
p
decresc.
pp

25
Viola

Schober

Orig. in As

Op. 123

Win - ter - streit, dem er sei - - ne Eis - wehr nahm;
da - rum schwingt der gold'ne Stift, dass dein Sil - ber -
helm er - schallt, und dein lieb - li - ches Ge - düft
leis', wie Schmeichelruf entwallt, dein lieb - li - ches Ge - düft wie
Schmeichel - ruf entwallt: dass die Blu - - men in der Erd' stei - gen

aus dem dü - stern Nest, und des Bräu - - tigams sich
werth, schmü - cken zu dem Hoch - - - - zeit -
fest, und des Bräu - - ti-gams sich werth, schmü -
- cken zu dem Hoch - - - - - zeit-fest.

Schneeglöcklein, o Schneeglöcklein, in den Au - en läu - test du,
läu - test in dem stil - len Hain, läut' die Blu - men aus der Ruh', läut',
pp
läut' die Blu - men aus der Ruh'!
Etwas geschwinder
Du Vi - o - la, zar - tes
p
Kind, hörst zu - erst den Won - ne - laut, du Vi - o - - la, zar - tes

Kind, hörst zu_erst den Won_ne_laut, und sie ste_het
auf geschwind, schmü - cket sorglich sich als Braut, hül - let sich in's
grü - ne Kleid, nimmt den Man - tel sam_met_blau, nimmt das gül - de_ne Ge -
schmeid' und den Bril - li_an_ten_thau, und den Bril - li_an_ten -
thau.

Eilt dann fort mit mächt'gem Schritt, nur den Freund im treu_en
Sinn, ganz von Lie - besgluth durchglüht, sieht nicht her und sieht nicht
hin, ganz von Lie - besgluth durchglüht, sieht nicht her und sieht nicht
hin.
Doch ein ängst - li_ches Ge_fühl ih_re
p
p

klei- - ne Brust durch wallt, denn es ist noch
rings so still,
denn es
ist noch rings so still,
und die Lüf- - te weh'n so kalt, und die
Lüf- - te weh'n so kalt. Und sie hemmt den schnellen

Lauf, schon be_strahlt von Sonnen_schein, doch mit Schrecken blickt sie auf, denn sie
ste_het ganz, ganz al_lein.
Sehr langsam
Schwe - - - - stern nicht, nicht
Bräu - - - - ti - gam, zu - ge - drun - - - - - gen und ver-
schmäht! da durch-

Geschwinder
schau - - - - ert sie die Scham, — flie - het wie vom Sturm ge - weht, flie - het
an den fern - sten Ort, wo sie Gras und Schat - ten
deckt, späht und lau - schet im - mer - fort, ob was
rau - schet und sich regt, ob was rau - schet und sich
regt; und ge - krän - - - ket
p
cresc.
decresc.

und ge - täuscht si - tzet
sie und schluchzt und weint,
von der tief - sten Angst zer -
fleischt, von der tief - sten
Angst zer - fleischt, ob kein
Na - hen - der sich zeigt.
pp

Schnee - glöck-lein, o Schnee - glöck-lein, in den Au - en
simile
läu - test du, läu - test in dem stil - len Hain,
läut' die Schwe - stern ihr her - zu, läut',
läut' die Schwe - stern ihr her - zu!

Ziemlich langsam
p
Ro - se na - het, Li - lie schwankt, Tulp' und
Hy - a - cin - the schwellt, Wind - ling kommt da - her ge -
rankt, und Nar - ciss', und Nar - ciss' hat sich ge -
sellt.

Ro - se na - het,
Li - lie
schwankt, —
Wind - ling kommt da - her ge -
rankt, und Nar - ciss', — und Nar - ciss', — hat sich ge -
sellt.
Etwas geschwinder
p
Da der

Früh - ling nun er - scheint, und das fro - he Fest be - ginnt, sieht er
al - le, al - le die vereint, sieht er al - le die vereint,
und ver - misst sein lieb - - - - - - - - - stes
fz p
fz p
pp
Sehr geschwind
Kind. Al - le schickt er su - chend
p
fort, um die Ei - ne, die ihm werth, um die Ei - ne, die ihm

werth, al - le schickt er su - chend fort, um die Ei - ne, die ihm werth.
cresc.
p
decresc.
dim.
Und sie kom - men an den
Ort, wo sie ein - sam sich ver - zehrt, wo sie ein - sam sich ver -
zehrt. Doch es sitzt das lie - be Kind, stumm und bleich, das Haupt gebückt,
p

ach, der Lieb' und Sehnsucht Schmerz hat die Zärt_li_che er_drückt, hat die
Zärt_li_che er_drückt.
pp
f
pp
Schneeglöcklein, o Schneeglöcklein, in den Au_en läutest du,
pp
läu_test in dem stil_len Hain, läut', Vi_o_la, sanf_te Ruh', läut', läut', Vi_
o_la, sanf_te Ruh'!
ppp

26

Delphine

Aus dem Schauspiel: „Lacrimas"
von Wilh. von Schütz

Orig. in A

Op. 124 № 1

Klein - ste vom Schëitel bis zur Sohl' ist dir ein - - - - zig ge - wei -
het, ist dir ein - - - zig, ein - zig dir ge - wei -
het. O Blumen, Blu - men! ver - wel - ket, euch
pfle - get nur, bis sie Lieb' er - ken - net, die See - le; o Blu - men, o
pp
decresc.
Blu - men! ver - wel - ket, ver - wel - ket, o Blu - men!

Nichts will ich thun, wis - sen und ha - ben;
Gedan - ken der Lie - be, die mäch - tig mich fas - sen,
Gedan - ken der Lie - be nur tra - - - - gen.
Im - mer sinn' ich, was ich aus In - brunst wohl könne thun, doch zu sehr hält mich
Lie - be in Druck; nichts, nichts,
nichts lässt sie zu.
pp
f
p
cresc.
f
p

Jetzt,
da ich lie_be, möcht' ich erst le_ben, und ster_ _ _ _be. Jetzt,
pp
ritard.
da ich lie_be, möcht ich hell bren_nen, und wel_ _ _ _ke. Wo_
ritard.
zu auch Blumen reihen und wäs_sern? Ent_blät_ _ _ _tert, so
sieht wie Lie_be mich ent_kräf_tet, sein Spä_ _ _ _hen. Der
decresc.
Ro_ _se Wan_ge will blei_chen, auch mei_ _ _ _ _
decresc.

ne; ihr Schmuck, ihr Schmuck zerfällt, wie verscheinen die Klei - - - -
ppp
der. Ach, Jüngling, da du mich er-
dimin.
a tempo
freu - est mit Treu - e, wie kann mich mit Schmerz so be - streu - en die
cresc.
f
Freu - - - - - de; ach, Jüng - - ling, da du mich er-
ff
p
freu - est mit Treu - e, wie kann mich mit Schmerz so bestreu - en die
Freu - de? Ach, was soll ich be - gin - nen vor
cresc.
ff
fp

Lie - - - be, ach, Jüng - ling, da du mich er - freu - est mit
Treu - e, wie kann mich mit Schmerz so be - streu - en die
Freu - de? ach, was soll ich be - gin - nen, ach, was
vor Lie - - be, vor Lie - - - be?
p
p
cresc.
ff
fp
p
cresc.
f
pp
fp
dimin.

27

Florio

Orig. in E

Aus dem Schauspiel: „Lacrimas"
von Wilh. von Schütz

Op. 124 № 2

reichet, vol - ler Gift, dass ich und ihr ver - der - bet. Erst mit Tönen, sanft wie
Flöten, goss sie Schmerz in mei - ne A - dern; se - hen woll - te sie der Kranke, und nun
wird ihr Reiz ihn töd - - - ten. Nacht, komm her, mich zu um-
win - den mit dem far - ben - lo - sen Dun - kel! Ru - he will ich bei dir
su - chen, die mir Noth thut, bald zu fin - den, Ru - he will ich bei dir su - chen, die mir
Noth thut, bald zu fin - den.
pp
fp

Orig. in A moll

28
Abendbilder

Moderato

Joh. Petrus Silbert

Nachlass, Lfg. 9

Sieh, der Ra - ben Nacht-ge - fie - der
rauscht auf
fer - ne Ei - chen nie - der, -
Bal - samduft
haucht - die
Luft;
Phi - lo - me - lens Zau - ber - lie - der
l. H.
pp
dimin. pp
hal - let zart
l. H.
r. H.
die E - cho wie - der,
l. H.
hal - let, hal - let zart die E - - - - cho
wie - der.

Horch! des A - bendglöckleins Tö - ne
mah - nen ernst der Er - de Söh - ne, dass ihr
Herz, him - mel - wärts, sin - nend ob der Hei - math Schö - ne, sich des
dimin.
Er - dentands ent - wöh - ne.
dimin.
Durch der ho - hen Wol - ken Rie - gel fun - keln
tau - send Him - mels - sie - gel, Lu - na's Bild streu - et

mild in der Flu_then kla - ren Spie - gel schim_mernd Gold auf Flur und
Hü _ gel, schim_mernd Gold auf Flur und Hü _ gel.
Von des
Voll _ monds Wi - der - schei _ ne,
von des Voll _ monds Wi - der_
schei _ ne
bli _ tzet das be_moo - ste, klei_ne Kirchendach.
A - ber, ach!
l. H.
rings _ um
pp
dim.
3

de - cken Lei - chen - stei - ne l. H. der Entschlum - merten Ge -
bein, der Ent - schlum - mer - ten Ge - bein.
Ruh't, o Trau - te, von den We - hen,
bis beim gro - ssen Auf - er - ste - hen aus der Nacht Got - tes
cresc.
f
Macht einst uns ruft, in sei - ner Hö - - hen ew' - ge Won - nen
p

ein - - zu - ge - hen. Ruht, o Trau - te, von den
We - hen, bis beim gro - ssen Auf - er - steh'n Got - tes
Macht einst uns ruft, in sei - ner Hö - hen ew' - ge Won - nen
ein - - zu - ge - hen, in sei - ner Hö - hen ew' - - ge
Won - nen ein - zu - ge - hen.
cresc.

29
Der liebliche Stern

Originaltonart

Ernst Schulze

Nachlass, Lfg. 13

Es zit_tert von Früh_lings _ win_den der Him_mel im flüs _ si_gen
pp
Grün; manch Stern_lein sah ich ent_blüh'n, manch Stern_lein sah ich ent_
schwin_den; doch kann ich das schön _ ste nicht fin_ _ den, doch
cresc.
kann ich das schönste nicht fin_ _ den, das frü_her dem Lie_benden schien.
f
cresc.
f
p
p
Nicht kann ich zum Him_mel mich
pp

schwin - gen, zu su - chen den freundli - chen Stern; stets hält ihn die Wol - ke mir
fern, stets hält ihn die Wol - ke mir fern! Tief un - ten, da möcht' es ge -
lin - gen, das fried - li - che Ziel zu er - rin - gen! tief un - ten, da ruht' ich so
gern, tief un - ten, da ruht' ich so gern!
pp
Was wiegt ihr im lau - li - chen Spie - le, ihr

Lüftchen, den schwankenden Kahn? o treibt ihn auf rau - he-rer Bahn her -
nie - der in's Wo - gengе - wüh - le! lasst tief in der wal - lenden Küh - le dem
lieb - lichen Ster - ne mich nah'n! lasst tief in der wal - lenden Küh - le dem
lieb - lichen Ster - ne mich nah'n, dem lieb - lichen Ster - ne mich nah'n!
mf
pp
fp
p
pp
cresc.
p
pp
dimin.

30
Grenzen der Menschheit

Originaltonart

Goethe

Nachlass, Lfg. 14

küss'ich den letz_ten Saum seines Klei_des, kind_li_che Schau_er tief in der Brust.
Denn mit Göt_tern soll sich nicht mes_sen ir_
gend ein Mensch. Hebt er sich auf_wärts und be_rührt mit dem Schei_tel die
Ster_ne, nirgends haften dann die un_sichern Soh_len, und mit ihm
spielen Wolken und Win_de, nirgends haften dann die un_sichern

Sohlen, und mit ihm spie_len Wol_ken und Win_ _de.
pp
pp
pp
Steht er mit fe_sten mar_ki_gen
f
Knochen auf der wohlge_gründe_ten, dau_ern_den Er_de, reicht er nicht
p
auf, nur mit der Ei_che o_der der Re_be sich zu ver_glei_chen.
f
Was un_ter_scheidet Göt_ter von Men_schen? dass vie_le Wel_len vor
p
ff
fz

je - nen wandeln, ein e - wi - ger Strom:
Uns hebt die Wel - le, ver -
schlingt die Wel - le, und wir ver - sinken, und wir ver - sin - ken.
Ein kleiner Ring be - grenzt unser Le - ben, und vie - le Ge - schlech -
- ter rei - hen sich dau - ernd an ih - res Da - seins un - end - liche Ket - te,
an ih - res Da - seins un - end - li - che Ket - te.

31
Wiederschein

Schlechta

Originaltonart

Nachlass, Lfg. 15

Langsam, zögernd

186

Doch die lauscht im na - hen Flie - der, doch die
pp
decresc.
lauscht im na - hen Flie - der,
und ihr Bild - chen
p
strahlt jetzt aus kla - ren Wel - len wie - der,
treu - er nie ge -
malt,
treu - er nie ge - malt.
Und er sieht's,
und er sieht's!
cresc.
f
decresc.
p

Und er kennt die Bän - der, kennt den sü - - - - ssen Schein: und er
pp
hält sich am Ge - län - der, sonst zieht's ihn hin-ein, der
Fi - scher kennt den sü - ssenSchein, und er hält sich am Ge - län - der, sonst
fp
fp
zieht's ihn hin-ein, sonst zieht's ihn hinein!
pp
dimin.

32
Liebeslauschen

Schlechta

Orig. in A

Nachlass, Lfg. 15

Sagt ihr, dass im Blät - ter-
da-che seufz' ein wohlbe - kann - ter Laut, sagt ihr, dass noch
ei - ner wa-che, und die Nacht sei kühl und traut.
pp
Sagt ihr, wie des Mon - des Wel - le sich an ih - rem Fen - ster
bricht, sagt ihr, wie der Wald, die Quelle, heimlich und von Liebe spricht, heimlich
pp

und von Liebe spricht!
Lass ihn
pp
leuchten durch die Bäume dei - nes Bil - des sü - ssen Schein,
das sich hold in mei-ne Träume und mein Wa - chen we - bet
ein."
Allegretto
Doch drang die zar-te Wei-se wohl
pp
nicht zu Liebchens Ohr, der Sänger schwang sich lei - se zum Fen-sterlein em - por.

Und o_ben zog der Rit_ter ein Kränzchen aus der Brust, das
band er fest am Git _ ter und seufzte: „Blüht in Lust! Und
fragt sie, wer euch brachte, dann Blumen, thut ihr kund:_“ Ein Stimm_chen un_ten
lach_te: „Dein Rit _ ter Lie_be_mund.“ Ein Stimm_chen un_ten lach_te: „Dein
Rit_ _ter Lie- _be- Lie_be- Lie _ be_ mund!“

33
Todtengräber-Weise

Schlechta

Orig. in Fis moll

Nachlass, Lfg. 15

Leib des Wurmes Raub und ein Spiel den Win_ -den, muss das Herz selbst noch als
p
Staub leben und empfin_ den.
cresc.
Denn der Herr sitzt zu Gericht: gleichend dei_nem Le_
ben wer_den Dun_kel o_der Licht, Träume dich um_schwe_ben.
Jeder Laut, der dich ver_klagt als den Quell der Schmer_zen, wird ein

scharfer Dolch und nagt sich zu dei_nem Her_ _zen, wird ein scharfer_ Dolch und
nagt sich zu dei_nem Her_zen.
Doch der Lie_be Thränen_
thau, der dein Grab be_sprü_het, färbt sich an des Himmels Blau, knospet auf und blü_
het, färbt sich an des Himmels Blau, knospet auf und blü_het.
Im Ge_
p
f
cresc.
f
pp
cresc.
mf

sange lebt der Held, und zu sei_nem Ruh_me schimmert hoch im Sternen_feld ei_ne
Feu_er_blu_me. Schlafe, bis der En_gel ruft, bis Po_
sau_nen klin_gen, und die Lei_ber sich der Gruft jugend_lich entschwin_
gen; schlafe, bis der Engel ruft, bis Po_saunen klin_gen, und die Leiber sich der
Gruft jugend_lich entschwin_gen!
pp
pp
8
dim.

34
Waldes-Nacht

Friedrich Schlegel *)

Originaltonart

Nachlass, Lfg. 16

*) Die Umarbeitung des Textes rührt von Ludwig Stark her.

Got-tes Flü - - gel,
Got-tes Flü - - gel,
decresc.
tief in küh - ler Wal - desnacht; wie der
tief in küh - ler Wal - desnacht; wie der
Held in Rosses Bü - gel, schwingt sich des Ge - dankens
Held in Rosses Bü - gel, dringt her-an der Stürme
Macht. Wie die al - ten Tan - nen sau - sen, hört man
Macht; wie die al - ten Tan - nen brau - sen, hörst die
Gei - stes-wo - gen brau - sen, wie die al - ten Tan - nen
Win - desbraut du sau - sen, wie die al - ten Tan - nen

sau - - sen, hört man Gei - stes - wo - gen brau - - - - - - -
brau - - - sen, hörst die Win - des - braut du sau - - - - - - -
sen, wie der Held in Rosses Bü - gel
sen, wie der Held in Rosses Bü - gel
schwingt sich des Ge - dankens Macht, wie die al - ten Tan - nen
dringt her - an der Stürme Macht, wie die al - ten Tan - nen
sau - sen, hört man Gei - stes - wo - gen brau - sen, wie die
brau - sen, hörst die Win - desbraut du sau - sen, wie die
al - ten Tan - nen sau - - sen, hört man Gei - stes - wo - gen
al - ten Tan - nen brau - - sen, hörst die Win - des - braut du
fp
f
fz
p

brau - - - - - - - sen.
sau - - - - - - - - sen.
Herr - lich ist der Flam - me Leuchten in des Morgenglan - zes Roth,
Wie die Flammenbli - tze schiessen durch der Tannen - wi - pfel Grün!
o - der die das Feld befeuchten, Bli - tze, schwan - ger oft von
und von ih - ren Feu - er - küs - sen stürzt versengt die Ei - che
Tod, Bli - tze, schwan - ger oft von Tod.
hin, stürzt versengt die Ei - che hin;
Rasch die Flam - me zuckt und lo - dert, wie zu Gott hin - auf ge -
rasch die Flam - me zuckt und lo - dert, wie zu Gott hin - auf ge -
p
pp
ff
fz
mf
cresc.

163
fo - - - - - dert, rasch die Flam - me zuckt und
fo - - - - - dert, rasch die Flam - me zuckt und
p
cresc.
lo - dert, wie zu Gott hin - auf ge - fo - - - - dert.
lo - dert, wie zu Gott hin - auf ge - fo - - - - dert.
p
ff
p
decresc.
E - wig's Rau - schen sanf - ter Quel - len zau - bert Blu - men
Horch! hin - ab in's Thal zu lau - schen will's dir win - ken
ppp
aus dem Schmerz, e - wig's Rau - schen sanf - ter Quel - len
nie - der - wärts; horch! hin - ab in's Thal zu lau - schen
zau - bert Blu - men aus dem Schmerz, Trau - er doch in
will's dir win - ken nie - der - wärts; dort ver - borg' - ner
ppp
8602

lin - den Wel - len schlägt uns lo - ckend an das Herz,
Quel - len Rau - schen schlägt dir lo - ckend an das Herz,
schlägt uns lo - - - - ckend an das Herz;
schlägt dir lo - - - - ckend an das Herz;
fern - ab hin der Geist ge - zo - - - gen, die uns
luf - tig kommt die Schaar ge - zo - - - gen, die dich
lo - cken, durch die Wo - - - gen, fern - ab hin der Geist ge -
lo - cket in die Wo - - gen, luf - tig kommt die Schaar ge -
zo - - - gen, die uns lo - cken, durch die Wo - - - - - - -
zo - - - gen, die dich lo - - cket in die Wo - - - - - -

gen, fern_ab hin der Geist ge - zo - - - gen, die uns
gen, luf_tig kommt die Schaar ge - zo - - - gen, die dich
lo - cken, durch die Wo - - - - - - - - gen.
lo - cket in die Wo - - - - - - - - gen.
Drang des
Vor den
Le - bens aus der Hül - le, Kampf der
El - fen lass dich war - nen, die dir
star - ken Trie - be wild, wird zur
win - ken in den Grund, dich mit
f
p

166
schön - sten Lie - bens - fül - - le, durch des Gei - stes Hauch ge -
Lie - besreiz um - gar - - nen und mit Sang aus sü - ssem
pp
stillt, wird zur schön - sten Lie - bens - fül - - le, durch des
Mund, dich mit Lie - bes-reiz um - gar - - nen und mit
Gei - stes Hauch ge - stillt. Drang des
Sang aus sü - ssem Mund. Vor den
Le - bens aus der Hül - le, Kampf der
El - fen lass dich war - nen, die dir
decresc.
star - ken Trie - be wild wird zur
win - ken in den Grund, dich mit
p
Edition Peters
8602

schön - sten Lie - bens - fül - le, durch des Gei - stes Hauch ge -
Lie - besreiz um - gar - nen und mit Sang aus sü - ssem
stillt, wird zur schön - sten Lie - bens - fül - le, durch des
Mund, dich mit Lie - besreiz um - gar - nen und mit
Gei - stes Hauch ge - stillt. Schö - pfe-ri-scher Lüf - te
Sang aus sü - ssem Mund. Schmeichleri-scher Lüf - te
cresc.
We - hen fühlt man durch die See - le
We - hen fühlst du durch die See - le
fz
ff
ge - hen, schö - pferi - scher Lüf - te We - hen
ge - hen, schmeichleri - scher Lüf - te We - hen

fühlt man durch die See - - - - - le ge - hen,
fühlst du durch die Sée - - - - - le ge - hen,
decresc.
fühlt man durch die See - - le
fühlst du durch die See - - le
p
ge - - - - - - - hen.
ge - - - - - - - hen.
pp
Win - - - des Rau - schen,
Gei - - - ster - schlin - gen
Got - - - tes Flü - gel, tief in
zu ent - ge - hen, hilft dir

küh - ler Wal - des - nacht. Win des
nur des Stur - mes Macht, Windes -
decresc.
Rau - schen, Gottes Flü - gel,
rau - schen, Gottes Flü - gel,
fp
tief in dunk - ler Wal - desnacht,
tief in küh - ler Wal - desnacht
decresc.
p
pp
frei ge - ge - ben al - le Zü - gel,
sprengst du mit verhängtem Zü - gel
schwingt sich des Ge - dankens Macht, hört in Lüf - ten oh - ne
durch die schwarze Wetter - nacht, hörst in Lüf - ten oh - ne
p

Grau - sen den Ge - sang der Gei - ster brau - sen, hört in
Grau - sen du den Sang der Gei - ster sau - sen, hörst in
Lüf - ten oh - ne Grau - - sen, den Ge - sang der Gei - ster
Lüf - ten oh - ne Grau - - sen du den Sang der Gei - ster
brau - - - sen, hört in Lüf - - - - ten oh - - ne
sau - - - sen, hörst in Lüf - - - - ten oh - - ne
Grau - - - - - - sen den Ge - sang der
Grau - - - - - - sen du den Sang der
Gei - - ster brau - - - - - - - - - -
Gei - - ster sau - - - - - - - - - - -
fz

sen.
sen.
Win - - - - des
Win - - - - des -
p
Rau - - schen,
rau - - schen,
Got - - - - tes
Got - - - - tes
pp
Flü - - gel,
Flü - - gel,
tief in
tief in
küh - - ler
küh - - ler
Wal - - - - - - - - - - - des - - -
Wal - - - - - - - - - - - des - - -
nacht.
nacht.
dimin.

35
Der Vater mit dem Kinde

Bauernfeld

Orig. in D

Nachlass, Lfg. 17

lauscht auf sei - nes Kin - des Traum: er
denkt an die ent - schwund' - ne Zeit mit weh - muthsvol - ler
Se - lig-keit, er denkt mit weh - muthsvol - ler Se - ligkeit an die entschwund'ne Zeit.
dimin.
dimin.
Und ei - ne Thrän' aus Her - zensgrund fällt ihm auf sei - nes
mf
dim.
Kin - des Mund, schnell küsst er ihm die Thrä-ne ab und
pp

wiegt es lei - se auf und ab, und wiegt es lei - se auf und ab, auf und ab.
dimin.
Um ei - ner gan - zen Welt Ge - winn, gäb' er das Her - zens-
cresc.
kind nicht hin.
f
p
Du Se - li - ger schon
p
in der Welt, der so sein Glück in Ar - men hält, der
so sein Glück in Ar - men hält, in Ar - men hält!
dimin.
pp

36
Pilgerweise

176
druck könnt ihr dies ar_me Herz er_qui_cken, und es be_frei'n von lan _ gen Druck, könnt ihr dies
ar_me Herz er_quicken und ___ es befrei'n von lan_ _gem Druck. Doch
fp
p
rechnet nicht, dass ___ ich euch's loh_nen, mit Ge_gendienst ver_gelten soll; ich streu _ e
nur mit Blumen_kro_ _nen, mit_ blauen, eu_re Schwel _ le voll;
und geb' ___ ein Lied euch noch zur
Edition Peters
8602

Zi - ther, mit Fleiss gesun - gen und gespielt, dass euch vielleicht nur
leich - ter Flitter, ein leicht entbehr - lich Gut euch gilt.
cresc.
fp
Mir, mir gilt es viel, ich kann's nicht mis - sen, und al - len Pil - gern ist es
p
cresc.
p
werth; doch freilich ihr, ihr könnt nicht wis - sen, was
den bese - ligt, der ent - behrt. Vom Ue - berfluss seid

ihr er - freu - et, und fin - det tau - send - fach Ersatz;
ein Tag dem an - dern an - ge-rei-het, ver - grö - ssert eu - ren Lie - - bes-
schatz, vergrössert eu - ren Lie - - - besschatz. Doch
pp
mir so wie ich wei - ter stre - be, an mei - nen
har - ten Wan - der - sta - be, reisst in des Glü - ckes Lust - ge - we - be ein Faden nach dem an - dern
f
p

ab, reisst in des Glü - ckes Lust - ge - we - be ein Fa - den nach dem an - dern
ab, ein Fa - den nach dem an - dern ab.
D'rum, d'rum kann ich nur von Ga - ben le - ben, von Augenblick zu Au - gen-
blick, o wollet vorwurfs - los sie ge - ben! zu eu - rer Lust, zu mei - nem Glück, o wol - let
vor - wurfslos sie ge - ben! zu eurer Lust, zu mei - nem Glück. Ich

bin ein Wal - ler auf der Er - de und ge - he still von
Haus zu Haus,
o reicht mit freund - li - cher Ge-
ber - de der Lie - be Ga - ben mir her - aus.
O reicht mit freund - li - cher Ge - ber - de der Lie - be Ga - ben mir her-
aus.
fp

37

Schiffers Scheidelied

Originaltonart

Schober

Geschwind

Nachlass, Lfg. 24

Bahn, es ruft mich fort, es winkt der Kahn, vor Un - geduld
schau - kelnd, auf wei - te Bahn, auf wei - te Bahn.
ff
fz
mf
fp
p
Dort
streckt sie sich in ö - der Fer - ne, du kannst nicht mit, siehst du, mein
p
Kind. Wie leicht ver - sin - ken mei - ne Ster - ne, wie
cresc.

leicht erwächst zum Sturm der Wind. Dann droht in
tau - send Ge-stal - ten der Tod, wie trotzt' ich ihm, wüsst' ich dich in
Noth, dann droht in tau - send Ge-stal - ten der Tod, wie trotzt' ich
ihm, wüsst' ich dich in Noth, wüsst' ich dich in Noth.
O lö - se dei-ner Ar-me Schlinge und lö - se auch vor mir dein Herz;
f
mf
cresc.
fz
fp
pp

weiss ich denn, ob ich's voll_brin_ge und siegreich keh_re heimath_wärts? die Welle, die
jetzt so lo_ckend singt, viel_leicht ist's die - sel - be, die mich ver - schlingt, die Wel_le, die
jetzt so lockend singt, vielleicht ist's die - sel - be, vielleicht ist's die - sel - be, die mich ver -
schlingt.
Noch ist's in deine Hand ge - ge - ben, noch

gingst du nichts unlös_bar ein, o tren_ne schnell dein junges Le_ben von
mei_nem un_ge_wis_sen Sein, o wol_le, o wol_le, bevor du
musst, Entsa_gung ist leich_ter als Ver_lust, o wol_le o, wol_le, be_vor du
musst, Entsa_gung ist leich_ter, Entsa_gung ist leich_ter als Ver_lust!
pp
fp
f
cresc.
mf
O lass mich im Bewusstsein steu_ern, dass ich al_lein auf Erden

bin, dann beugt sich vor dem Un - ge - heu - - ern, vor'm
Un - - er-hör-ten nicht mein Sinn. Ich trei - - be
cresc.
mit dem Ent-se - tzen Spiel und ste - - he plötz - lich vielleicht am
Ziel, ich trei - be mit dem Ent-se - tzen Spiel, und ste - he
plötz - lich viel-leicht am Ziel, vielleicht am Ziel.

Denn
hoch auf mei_ner Mas_te Spi_tzen wird stets dein Bild be_geisternd
mf
stehn, und, an_geflammet von den Bli_tzen, mit
f
sei_nem Glanz den Muth er_höh'n;
der Win_de
Heu_len, auch noch so bang, ü_ber_täu_bet nicht dei_ner Stim_me
fp
f

188
Klang, der Win - de Heu - len, auch noch so bang, ü - ber-täu - bet
nicht dei - ner Stim - me Klang, deiner Stim - me Klang.
fz
fp
pp
Und kann ich dich nur seh'n und hö - ren, dann hat's mit mir noch keine
Noth, das Le - ben will ich nicht ent - beh - ren, und käm - pfen will ich mit dem
Tod. Wie wür - de mir ei - ne Welt zur Last, die En - gel so
Edition Peters
8602

schön wie dich um - fasst, wie wür - de mir ei - ne Welt zur Last, die En - gel so
schön, die En - gel so schön, - wie dich um - fasst.
fp
pp
pp
Auch
du sollst nicht mein Bild zer - schla - gen, mit Freund - schaftsthrä - nen weih' es ein, es
soll in Schmerz - und Freu - de - ta - gen dein Trost und dein Ver - trauter sein.

ja blei_be, wenn mich auch al_les ver_liess, mein Freund im hei_mischen Pa_ra_
dies, ja blei_be, wenn mich auch al_les ver_liess, mein Freund, ja blei_be mein Freund im
hei_mischen Pa_ra_dies.
fp
f
cresc.
Und
spült dann auch die fal_sche Wel_le mich todt zurück zum Blumen_strand, so
f p

weiss ich doch an lie_ber Stel_ _le noch ei_ _ _ne, ei_ne treu_e
Hand,
der we_ der Ver_ach_tung noch Schmerz es
wehrt, dass sie mei_nen Re_sten ein Grab be_schert,
und
spült dann auch die falsche Wel_ _le mich todt zurück zum Blumen_
strand,
so weiss ich doch an lie_ber Stel_ _le noch
fp
fp
fp
fp

ei - ne, ei-ne treu-e Hand, der we - der Ver-
ach - tung noch Schmerz es wehrt, dass sie meinen Re - sten ein Grab be -
schert, der we - der Ver - ach - tung noch Schmerz es wehrt, dass sie mei-nen
Re - sten ein Grab be - schert, ein Grab be -
schert.
pp
dimin.
pp

38

Fülle der Liebe

Ein Feu_er war es, das al_les treibt, ein star_kes, kla_res, das e_wig
bleibt. Was wir an_streb_ten, war treu ge_meint; was wir durch
beb_ten, bleibt tief ver_eint. Da trat ein Schei_den mir in die
Brust; das tie_fe Lei_den der Lie_bes_lust. Im See_len
grun_de wohnt mir ein Bild, die To_des_wun_de ward nie ge_stillt.
ff
mf
f
p
pp
ppp

Viel tau_send Thränen flos_sen hin - ab, ein e - wig Seh_nen zu ihr in's
cresc.
f
ff
Grab, ein e_wig Seh_nen zu ihr in's Grab.
p
In Lie_bes - wo - gen wal_let der Geist, bis fort - ge - zo - gen die Brust zer -
ff
cresc.
reisst.
pp
pp
Ein Stern er - schien mir vom Pa_ra - dies; und da_hin flieh'n wir vereint ge -

wiss, und da - hin flieh'n wir ver - eint ge - wiss.
Hier noch be - feuch - tet der Blick sich lind, wenn mich um -
leuch - tet dies Him - mels - kind. Ein Zau - ber
wal - tet jetzt ü - ber mich, und der ge - stal - tet dies all' nach
sich, als ob uns ver - mäh - le Gei - stes - ge - walt, wo Seel' in

Seele hinüber wallt.
Ob auch zerspalten mir ist das Herz, selig doch halten will ich den Schmerz; ob auch zerspalten mir ist das Herz, selig doch halten will ich den Schmerz; ob auch zerspalten mir ist das Herz, selig doch halten will ich den Schmerz, selig doch halten will ich den Schmerz.
pp
ppp
f
ff
fff
p

39

Der Wallensteiner Lanzknecht

Leitner

Originaltonart

Nachlass, Lfg. 27

1. Kol_ben, Schwert und Spiessen,
2. bra_ve Pi_ckel_hau_be!
3. Krug hat tie_fe Wunden,
er dient mir jetzt als Trink_po_kal und
der Schwede büss_te bald da_für und
doch hält er noch den deutschen Wein, und
2. Strophe: der
3. 〃 doch
1. in der Nacht als Kis_sen, er dient mir jetzt als Trink_po_kal und in der Nacht als
2. rö_chel_te__ im Stau_be, der Schwe_de büss_te bald da_für, und rö_chel_te__ im
3. soll mir oft noch munden, doch hält er noch den deutschen Wein, und soll mir oft noch
1. Kis_sen.
2. Stau_be.
3. mun_den.
1. 2.
3.
2. Vor
3. Nun
f
p
mf

40

Stimme der Liebe

F. L. Graf Stolberg

Orig. in D

Nachlass, Lfg. 29

Thrä - - - nen der Sehn - - sucht, die auf blas - sen
p
Wan - - - gen beb - - - ten, fal - len her - ab als
cresc.
cresc.
Freu - - - - den - thrä - - - nen; denn mir tönt die himm - li - sche
p
cresc.
Stim - me: Dei - - ne wird sie, die Dei - - -
f
ff
ne!
p
dimin.
pp
ppp

41

Tiefes Leid

Schulze

Originaltonart

Nachlass, Lfg. 30

cresc.
pp
1. wenn die Wind' auch schau-rig sau-sen, und kalt der Re-gen nie-der-fällt, doch
2. will die fal-sche Hoff-nung wei-chen, nie mit der Hoffnung Furcht und Müh'. Die
3. kann die See-le frei-er kla-gen bei Je-ner, die ich treu ge-liebt; nicht
cresc.
1. will ich dort viel lie-ber hau-sen, als in der un-be-ständ'-gen
2. e-wig stum-men, e-wig bleichen, ver-hei-ssen und ver-sa-gen
3. wird der kal-te Stein mir sa-gen, ach, dass auch sie mein Schmerz be-
pp
1. Welt, doch will ich dort viel lie-ber hau-sen, als in der
2. nie, die e-wig stum-men, e-wig bleichen, ver-hei-ssen
3. trübt, nicht wird der kal-te Stein mir sa-gen, ach, dass auch
pp
1.2.
p
3.
1. un-be-ständ-gen Welt.
2. und ver-sa-gen nie.
3. sie mein Schmerz be-trübt!
2. Denn
3. Nicht
pp

42
Heliopolis

Mayrhofer

Originaltonart

Nachlass, Lfg. 37

der Erinn'- rung ein! denn der Dich - - ter
lebt vom Sein.
Ath - me du den heil' - gen Ae - ther, schling' die Ar - me
um die Welt; nur dem Wür - di - gen, dem
Gro - ssen blei - - - be mu - thig zu - ge - sellt.
p

Lass die Lei - den - schaf - ten sau - sen
fz
im metal.le - nen Akkord; wenn die star - ken Stür - me brau - sen,
fin - dest du das rech - te, das rech - te Wort. Lass die
Lei - denschaf - ten sau - sen im me - tal - lenen Akkord; wenn die
star - ken Stür - me brau - sen, fin - dest du das rechte Wort, fin - dest
du das rech - te Wort.

43
Versunken

Orig. in As

Goethe

-zens-grund ge-sund.
mf
p
Und küss' ich Stir-ne, Bo-gen, Au-ge, Mund,
p
f
p
dann bin ich frisch und im-mer wie-der wund,
f
p
dann bin ich frisch und im-mer wie-der wund,
pp
dimin.
und im-mer wie-der wund. Der
dimin.
p

fünf _ gezackte Kamm, wo soll er stocken? Er kehrt schon
wie _ der zu den Lo - - cken.
mf
p
Das Ohr ver - sagt sich nicht dem Spiel, so zart zum
pp
Scherz, so lie - - be - viel, so zart zum Scherz, so lie - - be -
p
viel! Doch wie man auf dem Köpf - chen kraut, doch
cresc.
pp
cresc.

wie man auf dem Köpf - chen kraut, man wird in sol - chen
rei - chen Haa - ren für e - - - - wig auf= und nie - der -
fah - ren, e - - - - wig auf= und nie - der - fah - ren,
e - - wig auf= und nie - der - fah - ren, voll
Lo - - - - cken kraus, ein Haupt,
so rund!

44
Das Mädchen

Originaltonart

Fr. Schlegel

Nachlass, Lfg. 40

45
Prometheus

Goethe

Originaltonart

Nachlass, Lfg. 47

213
baut
und meinen Herd, um dessen Gluth du mich be-
fz
fz
nei-dest. Ich ken-ne nichts Är-meres un-ter der Sonn' als euch, Götter!
fz
fz
Etwas langsamer
Ihr nährt küm-mer-lich vom O-pfersteuern und Gebets-hauch eu-re Ma-je-
p
stät, und darb-tet, wä-ren nicht Kinder und Bettler hoffnungs-vol-le
Tho-ren. Da ich ein Kind war, nicht wusste, wo aus noch ein, kehrt' ich
(p)
Edition Peters
8602

mein ver-irr - tes Au-ge zur Son-ne, als wenn d'rüber wär' ein Ohr, zu hö-ren mei-ne
Kla-ge, ein Herz wie mein's, sich des Be-drängten zu er - barmen.
fp
Recit
Wer half mir wi-der der Ti-ta-nen Übermuth? wer ret-te-te vom To-de
ff
mich, von Sclaverei? Hast du nicht alles selbst vollendet, heilig glühend Herz? Und
glühtest jung und gut, be-trogen, Ret - tungsdank dem Schlafenden da droben?
p
fz
ff

215
Geschwinder
Ich dich eh_ren? Wo _ für?
Hast du die Schmerzen ge _ lin_dert je des Be _ la_denen?
ich dich ehren, wo_
für?
Hast du die Thränen ge_stil_let je des Ge_ängste_ten?
Hat nicht mich zum Manne ge_schmiedet die allmäch_ti_ge Zeit und das e _ wige Schicksal, mei _ ne
Herrn und dei_ne?
Etwas langsam
Wähntest du et _ wa, ich soll_te das Le _ ben hassen, in
Edition Peters
8602

Wü - sten flie_hen, weil nicht al - le Blüthen_träu_me reif_ten?
Kräftig
Hier sitz' ich, for_me
Menschen nach meinem Bil_de, ein Ge_schlecht, das mir gleich sei, zu lei - den, zu
wei - nen, zu ge - nie - ssen und zu_ freu_en sich, und dein nicht zu ach_ten,
wie ich, dein nicht zu ach_ten, wie ich!

ÜBER DIE VORSCHLÄGE IN SCHUBERTS LIEDERN

In den ersten Ausgaben der Schubertschen Lieder wie auch in den Nachdrucken, die in den folgenden Jahrzehnten in Wien und Norddeutschland erschienen, ist das Zeichen für die Vorschläge fast überall: ♪. Es hat in der gegenwärtigen Zeit die Bedeutung des kurzen Vorschlags, die ihm früher durchaus nicht immer beigelegt wurde. Vielmehr hat sich die Tradition bezüglich des durchstrichenen Achtels im Laufe der Jahre geändert, und da der frühere Gebrauch nicht hinlänglich bekannt ist, sind manche arge Mißverständnisse entstanden. Hat man doch allen Ernstes versucht, den Vorschlag bei Stellen wie:

kurz auszuführen. Dies entspricht aber ganz sicher nicht der Willensmeinung des Komponisten, auch nicht dem Buchstaben der Schubertschen Schreibart, und ebensowenig dem Wesen der melodischen Linie.

Im 18. Jahrhundert bis in die dreißiger Jahre des 19. Jahrhunderts hin war es in Wien Gewohnheit, das Sechzehntel in zweifacher Form zu schreiben und zu stechen: 𝅘𝅥𝅯 und ♪. Mozart brauchte fast in allen Fällen das durchstrichene Achtel ♪ für das Zeichen des Sechzehntels, so z. B. stets nach einem punktierten Achtel:

♪. ♪. Und nach dieser Tradition richteten sich die Notenstecher bis 1820 und 1830, wiewohl Schubert selbst ihr längst entwachsen war. In den alten Druckausgaben der Schubertschen Lieder haben die ♪ Zeichen also durchaus nicht immer die Bedeutung des kurzen Vorschlags, sondern sie stehen eben an Stelle von Sechzehnteln, die hier in der Mehrzahl der Fälle den langen Vorschlag andeuten, nicht den kurzen. Jene Setzerwillkür, die Schuberts Willensmeinung aufs äußerste entstellte, trägt vornehmlich die Schuld für die falsche Ausführung der Vorschläge. — Ich darf feststellen, daß in den mehr als 800 Handschriften Schuberts, die ich im Laufe der letzten Jahrzehnte einsehen konnte, nicht ein einziges Mal ein durchstrichener Vorschlag ♪ steht, vielmehr zeigen die Autogramme in der übergroßen Mehrzahl als Vorschlag das 𝅘𝅥𝅯 Zeichen (auch vor Vierteln und Halben), ausnahmsweise begegnet auch ein ♪ oder ♩. Unter solchen Umständen erachtete ich es für meine Pflicht, in den von mir besorgten Ausgaben der Schubertschen Werke, die durch die eben erwähnte Setzerwillkür eingefügten ♪ zu entfernen und Schuberts echte Schreibart 𝅘𝅥𝅯 auch für den Druck wieder herzustellen*). In dem „Supplement zum Schubert-Album I" (Leipzig, C. F. Peters, 1884) habe ich hierüber Rechenschaft gegeben und gleich zu Anfang das gesamte Material über die Ausführung der Vorschläge in Schuberts Liedern zusammengestellt. Zu meiner großen Enttäuschung mußte ich mich aber seit dem Erscheinen des revidierten „Schubert-Albums" überzeugen, daß unter Berufsmusikern und Dilettanten über die Ausführung der Vorschläge noch immer große Unklarheit herrscht. So lehrt noch jetzt die große Mehrzahl der Gesanglehrer, die oben zitierte Stelle in „Wohin" trotz der

in folgender ganz unrichtiger Weise zu singen:

oder gar:

und so hört man die Takte noch jetzt in vielen Konzertsälen. Deshalb halte ich es für notwendig, jenen Irrtum noch einmal richtigzustellen.

Für die Behandlung der Vorschläge vor zwei gleich hohen Noten gilt die Regel, die Philipp Emanuel Bach in seinem „Versuch über die wahre Art das Clavier zu spielen" (1753—62) niedergelegt hat: „Die langen Vor-

*) Dasselbe hat später mein Freund Professor Eusebius Mandyczewski in Wien bei der von ihm redigierten Gesamtausgabe der Schubertschen Werke getan.

schläge bekommen den ganzen Zeitwerth der Hauptnote, wenn diese sich wiederholt und an diese Wiederholung gebunden ist." Die Vorschrift (sie findet sich gleichlautend in der berühmten Klavierschule von Dan. Gottl. Türk, 1789) wurde auch auf die nicht gebundenen gleich hohen Noten ausgedehnt. Und vorher schon empfiehlt Haydn bei Gelegenheit der Übersendung seines „Applausus" (1768):

„. . denen zwey Knaben (Solisten) die arth des Gesanges im Recitiren, z. E.:

muß also gesungen werden:

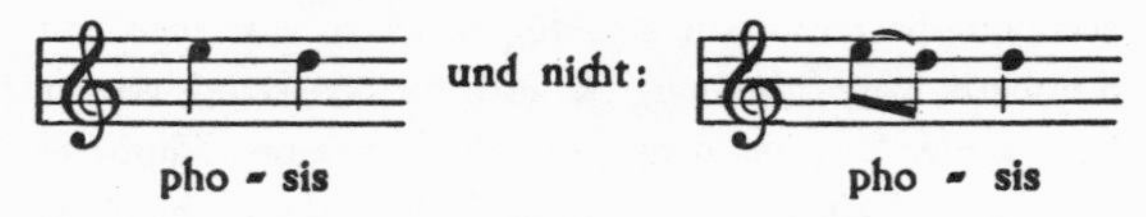

und auf solche arth in allen Fällen". (C. F. Pohl, Joseph Haydn, II, S. 42). Die beiden Takte aus „Wohin" würden demnach auszuführen sein:

Daß Schubert selbst beim Singen seiner Lieder die Vorschläge in dieser Weise behandelt hat, ist mir durch den berufensten Zeugen Franz Lachner in München, einen Jugendfreund des Meisters, bei meinem Besuche im Jahre 1883 bestätigt worden. Aber auch aus rein musikalischen Gründen ergibt sich die Korrektheit der obigen Ausführung der Vorschläge. Wenn in dem bekannten Liede „Frühlingstraum" (Nr. 11 der Winterreise) im Eingangsritornell steht:

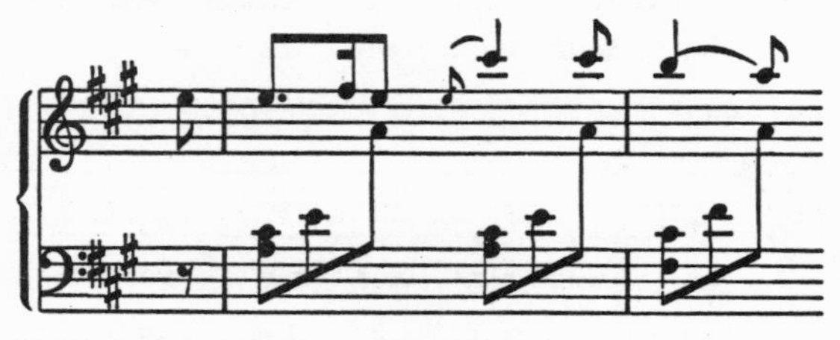

während die Singstimme lautet:

so ist in beiden Fällen die Ausführung die gleiche, nur ist im Klavierteil der Vorschlag ausgeschrieben, in der Singstimme nicht. Ebenso liegen die Verhältnisse in andern Liedern Schuberts, wofür noch einige Beispiele gegeben seien: von einigen der schönsten Kompositionen liegen mehrere handschriftliche Fassungen des Meisters vor, in denen er die Vorschläge das eine Mal als solche aufzeichnet, das andre Mal aber in Noten ausschreibt:

1. Im „Erlkönig"

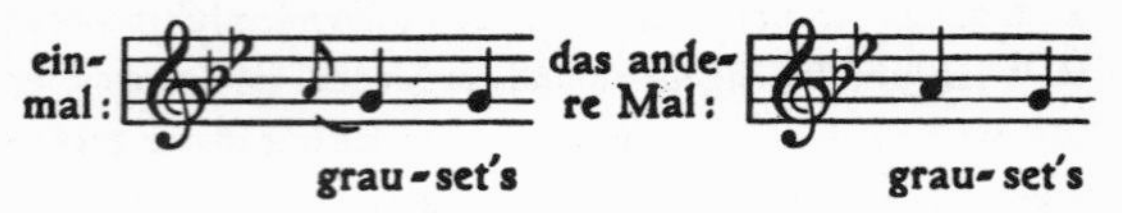

2. in „Gretchen am Spinnrade" (Takt 9 vom Beginn)

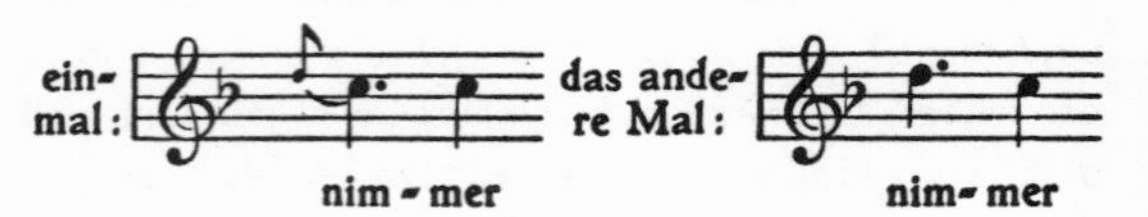

3. in „Dem Unendlichen"

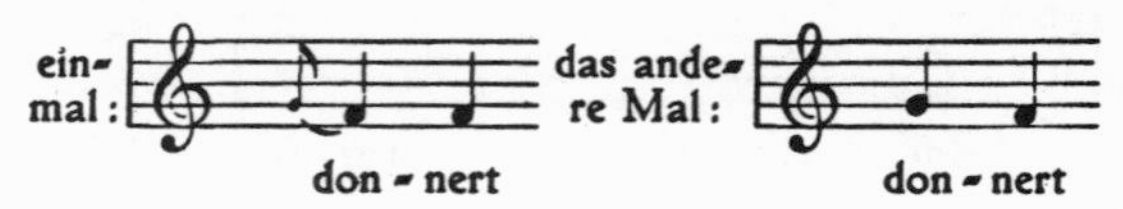

also einmal mit dem Vorschlag, das zweite Mal mit dessen Ausführung.

Man wird fragen, wie Schubert zu der Vorschlagsnotierung kam, wenn er nicht eine Verzierung, sondern einen vorgehaltenen Hauptton haben wollte. Die Frage führt in die musikalische Praxis der Zeit. Wie man mit Vortragszeichen und Tempoangaben damals immerhin noch sparte und dem Vortragenden einen guten Teil eigener Musikalität und Produktivität zutraute*), so rechnete man auch mit der Kenntnis der harmonischen Grundgesetze. Im 18. Jahrhundert noch erwarteten die Musiker, daß jeder Klavierspieler, auch der Liebhaber, imstande war, nach einer einfachen Baßlinie die mit Ziffern angegebenen Harmonien richtig zu greifen und zu verbinden (Generalbaßspiel). Man schrieb z. B.:

$$\overset{7}{G} \qquad \overset{3}{C}$$

und wußte, das jeder die Harmonien: *G/h d f, C/c e* spielen würde. An diese Praxis, die im 19. Jahrhundert allmählich verlorenging, hielt sich auch Schubert, obschon er keine bezifferte Baßlinie mehr benutzte. Wenn nun aber der Sänger *h* zu *fis-cis* zu singen hatte, wie oben im „Frühlingstraum" bei „Blumen", so würde dieser Vorhalt so manchen älteren Spieler und Sänger jener Zeit noch verblüfft oder gestört, vielleicht ihn gar zu einer Korrektur veranlaßt haben. Auf diese Weise ist es zu

---

*) So hat Schubert z. B. nur sehr selten einmal dem Sänger Vorschriften wegen der Dynamik gemacht und es ihm überlassen, die Absicht aus den im Klavierpart angebrachten <, >, *p*, *f* zu ersehen. Diesem Beispiel folgte Johannes Brahms in seinen Liedern, während andere, wie z. B. Robert Franz, sich selbst innerhalb eines Taktes oft nicht genug tun konnten, ihre Intentionen dem Sänger aufs genaueste vorzuschreiben.

erklären, daß Schubert den Vorhalt in der Singstimme als einen Vorschlag notierte:

damit das harmonische Bild auf den ersten Blick rein zu erkennen war. Die Ausführungsangabe ergab dann von selbst die gewünschte harmonische Wirkung.
In unseren Tagen aber lebt jene Tradition nicht mehr fort. Um nun jenen Irrtümern und Verzerrungen bei der Ausführung der Vorschläge zu begegnen, habe ich mich nach langem Überlegen — nicht leichten Herzens — dazu entschlossen, die Vorschläge aufzulösen, sie erscheinen hier also nicht mehr in der ursprünglichen Notierung:

sondern in der durch die alten Regeln vorgeschriebenen, der Absicht des Komponisten entsprechenden Ausführung:

Hierbei wäre nur noch zu beachten, daß das *Portament* eine dem Vorschlage innig verwandte Manier ist: im dritten Müllerliede, „Halt", wären also Takt 15 und 14 vor Schluß, die in der Originalnotierung:

lauteten, nicht kalt:

zu singen, sondern mit Portament:

Die **unzweifelhaft kurzen** Vorschläge, wie sie z. B. vor Triolen erscheinen, sind in der vorliegenden Ausgabe in der heute allein gebräuchlichen Notierung gestochen worden, also z. B. im „Morgengruß" (Nr. 8 der Müllerlieder) im 9. Takt nicht mehr:

sondern:

Indessen sei darauf aufmerksam gemacht, daß Schubert auch sie ohne Ausnahme als nicht durchstrichene Sechzehntel ♪ niedergeschrieben hat, also ununterschieden von den **langen** Vorschlägen.
Übrigens ist es unmöglich, in **sämtlichen** Fällen über die Ausführung der Vorschläge bestimmt zu entscheiden, vielmehr dürfen wir sicher sein, daß der Komponist die Gestaltung des Ornaments oft dem Geschmack der Sänger und Klavierspieler überlassen wollte.

MAX FRIEDLAENDER

SCHUBERTS GESÄNGE
IN DER EDITION PETERS

ALPHABETISCHES GESAMTVERZEICHNIS
DER LIEDERTITEL UND TEXTANFÄNGE
NACH BAND- UND SEITENZAHL

AUSGABE IN SIEBEN BÄNDEN VON MAX FRIEDLAENDER

Band I . . . . . . hoch, mittel, tief . . . . Ed.-Nr. 20a/c
Band II . . . . . hoch, mittel, tief . . . . Ed.-Nr. 178a/c
Band III . . . . hoch, mittel, tief . . . . Ed.-Nr. 790a/c
Band IV–VI . in Originaltonarten . . Ed.-Nr. 791–93
Band VII . . . . in Originaltonarten . . . Ed.-Nr. 2270

Römische Ziffern = Bezeichnung des Bandes — Arabische Ziffern = Seitenzahl

Bei Band I, tief (EP 20c) weichen die Seitenzahlen teilweise von den Ausgaben hoch und mittel ab.

ARIEN / Gesang und Klavier

ALTE MEISTER des Bel Canto (Landshoff)
50 Arien, Kanzonen und Kanzonetten für Sopran
Bd. I 16. u. 17. Jahrhundert / Bd. II 17. u. 18. Jahrhundert EP 3348a/c
Auswahl aus Bd. I/II für Alt (Mezzosopran) EP 3348b

ARIENALBEN, Klassische Arien aus Oratorien und Opern:
58 Arien für Sopran EP 734
19 Arien für Mezzosopran EP 794
52 Arien für Alt EP 735
40 Arien für Tenor EP 736
54 Arien für Bariton und Baß EP 737

J. Chr. BACH 12 Konzert- und Opernarien (Landshoff) EP 4319

J. S. BACH Arien (Straube/Schneider)
15 Arien für Sopran EP 3335a
15 Arien für Alt EP 3335b
15 Arien für Tenor EP 3335c
15 Arien für Baß EP 3335d
69 Geistliche Lieder und Arien mit beziffertem Baß EP 4573

HÄNDEL 30 Gesänge aus Opern und Oratorien für eine Frauenstimme (Roth) EP 3493

KOLORATURALBUM, 22 Arien für Sopran EP 2074

MOZART 5 Koloraturarien KV 316, 416, 419, 417a (i./d.) (Lehmann) EP 3552b
3 Konzertarien für Sopran KV 272, 505, 528 (i./d.) (Lehmann) EP 3552a

OPERNARIEN (Soldan):
36 Arien für Sopran EP 4231a
44 Arien für Sopran EP 4231b
34 Arien für Alt (Mezzosopran) EP 4232
47 Arien für Tenor EP 4233
30 Arien für Bariton EP 4234
34 Arien für Baß EP 4235

VERDI Arienalben (d./i.) (Soldan)
30 Arien für Sopran Bd. I/II EP 4246a/b
7 Arien für Mezzosopran (Alt) EP 4247
23 Arien für Tenor EP 4248
20 Arien für Bariton EP 4249
13 Arien für Baß EP 4245

WAGNER 13 Gesänge für Sopran (Soldan) EP 4241
19 Gesänge für Tenor (Soldan) EP 4243
15 Gesänge für Bariton (Soldan) EP 4244

h/m/t = hoch/mittel/tief; d./i. = deutsch/italienisch

C. F. PETERS · FRANKFURT · LONDON · NEW YORK

ZWEI BIS VIER SINGSTIMMEN UND KLAVIER

ALTE MEISTER DES BELCANTO 20 italienische Kammerduette des 17./18..Jh. von Monteverdi, Rossi, Marazzoli u. a. für 2 Soprane (Tenöre) und für Sopran und Alt (Landshoff) EP 3824
– daraus einzeln: Monteverdi, 6 Kammerduette EP 3824a

BEETHOVEN Schottische Lieder (engl./dt.) mit Klavier, Violine und Cello (7 Lieder f. 1 Singstimme, 2 Duette, 4 Terzette) (Friedlaender) EP 2524
Nei giorni tuoi felici für Sopran und Tenor (Hess) EP 4832

BRAHMS 14 Duette op. 20, 61, 66, 75 für Sopran und Alt EP 3909
4 Duette op. 28 für Alt und Bariton EP 3910
12 Quartette für 4 Solostimmen (SATB) op. 31, 64, 92, 112 (Soldan) EP 3911
Liebeslieder op. 52, Neue Liebeslieder op. 65 für 4 Singstimmen (SATB) und Klavier 4 hd. EP 3912
15 Zigeunerlieder op. 103, 112 für 4 Singstimmen (SATB) EP 3913

CARISSIMI 6 Kammerduette (it.) für 2 Soprane oder Tenöre (Landshoff) EP 3824b

HAYDN 2 Gesänge für 3 gemischte Stimmen (SAT, STB), 2 Gesänge für 3 Männerstimmen (TTB) (Weismann) EP 4936a

MENDELSSOHN 17 Duette für 2 Soprane, 2 Duette für Sopran und Tenor (Friedlaender) EP 1747

MORLEY 21 zweistimmige Kanzonetten (engl.) für 2 Soprane a capp. oder mit 2 Blockflöten (Boalch) H 1998

MOZART 6 Nocturnos (it./dt.) KV 346, 436–439, 549 für 2 Soprane und Baß (Kraus) EP 4522

12 OPERNDUETTE für 2 Soprane (Sopran und Alt) aus Opern von Händel, Pergolesi, Gluck, Mozart, E. T. A. Hoffmann, Weber, Wagner (F. Martienssen) EP 3839b

ROSSINI Katzenduett (Duetto buffo di due gatti) für Sopran und Alt EP 7145

SCHOSTAKOWITSCH Gesänge nach hebräischen Volksdichtungen op. 79 (4 Duette, 3 Terzette) für Sopran, Alt und Tenor EP 4727

SCHUMANN 34 Duette für 2 Singstimmen (SS, SA, ST, TB) (Friedlaender) EP 2392
Spanisches Liederspiel op. 74. Zehn Gesänge für 1 bis 4 Singstimmen EP 2394

C. F. PETERS · FRANKFURT · NEW YORK · LONDON

3383